욕망이라는 것에 대하여

blackD

욕망이라는 것에 대하여
04

욕망이라는 것에 대하여 **04**

9화

두 사람이 스토리와 작화를 번갈아가면서 맡게 됩니다.

한 팀당 두 작품이 나오게 되는 거지.

다들 과제전에 졸업작품에 바쁠 테니,

대표 이미지 포함된 한 페이지만 완성하고, 나머지는 펜터치까지만 하면 돼요.

주제는 자유, 페이지는 최대 18페이지고

단편으로 끝나도, 장편으로 1화여도 상관없어요.

서로의 의견에 맞추고 양보한다고 생각하는 것보다는

새로운 것에 과감히 도전한다는 생각이 더 좋을 것 같아.

그나저나…

팀 정하는 거에 시간 너무 쏟으면 어떡하나 걱정했는데.

오늘 남은 시간은
다양한 방식의
팀 작업 사례를 볼게요.

과제 양식은
카페에 올릴 테니
참고하시고.

파스스…

오늘 남은 시간은
다양한 방식의
팀 작업 사례를 볼게요.

파숙…

시놉과 콘셉트, 역할 분배에 대해 발표 준비 해오시고요.

다음 주에 봅시다~!

......

......

에휴

오늘은 지쳐서
말할 기운도 없다….

나중에
연락하지, 뭐.

과제가 있는데
설마 피하겠어.

쯔욱

?

…나중에…
연락할게.

꽈악

어…?

어… 응….

……

…과제니까.

간다.

……

그으래…。

어련하시겠어.

절~대
내가 먼저 연락 안 한다!!

……．

대체
몇 시간 동안
이러고 있는 거야.

이 시간에
원고 세 장은
그렸겠다.

하…

강범철 때문에
나를 점점 잃어가….

이제 절대
휘둘리지 않는다.

꽈악—

버릴 거야!

띠링♪

파

아니, 내가 왜 실망을…

최악….

무슨 일이시지.

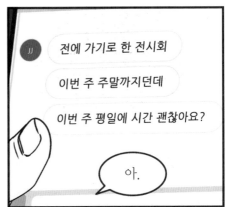

JJ 전에 가기로 한 전시회

이번 주 주말까지던데

이번 주 평일에 시간 괜찮아요?

아.

난 내일도 괜찮은데.

떠딱

내일 어떠냐고 물어봐야지.

이번 주 하루 빠지면… 작업 서둘러야겠다.

오랜만에 오니까 좋네요.

충족되는 느낌?

전시회 같이 다닐 사람 없었는데

JJ 님이랑은 맞는 게 많아서 좋아요.

저도요.

다 봤으면 자리 옮길까요?

네.

아까부터 폰 자주 보던데….

급한 일 있으면 지금 헤어질까요?

아, 아니에요.

과제… 때문에 연락 올 데가 있어서….

17

조별과제?
같이하는 건데
연락이 안 되는
거예요?

뭐…
그런 셈인데
그게….

?

그때 왜,
좋아하는 것 같다는…
걔랑 같은 팀인데
연락이 안 와서요.

집에서 자주 보지 않아요?
그때 보면 되잖아요.

음, 그게
일이 좀 꼬여서.

쫑?

…아마?

헛~
어쩌다…

어째 즐거워
보이시네요.

재밌으니까요….

전
재미없는데!

농담이고…

무슨
일이에요?

말하기 좀 그러면
말 안 해도 괜찮아요.

그런 건
아닌데….

걘 역시 좋아하거나
그런 게 아니라

완전 본능대로
굴었던 거였어요.

허….

뭐, 걘 원래 아무 생각 없었으니 그냥 저 혼자 끝내는 거긴 한데.

그러는 와중에 같은 팀이 돼서 여러모로….

그러네…. 좀 심란하겠어요.

걔도 저도 과제니까 같이 하긴 하겠지만

관계 자체는 그냥… 이제 그만두려고요.

점점 나를 잃는 기분을 못 참겠어서….

잘됐다.

네? 뭐가요?

아니, 그 기분 잘 알아서요.

나를 점점 잃어간다는 거요.

아….

뭐, 적어도 오늘은… 연락 신경 쓰지 말아요.

전시회 얘기만 해도 말할 것 많고.

네.

하… 진짜 편안하네요.

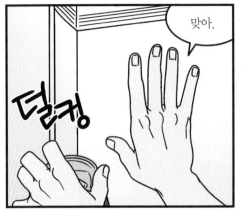

맞아.

덜컹

강범철,
너.

요즘 과제
잘하고 있어?

명창

후룩...

푸슉

지금쯤 슬슬
시놉 다 나와야
하지 않아?

닥쳐!

다
너 때문이야!

뭐가 나 때문이야.
웃고 있네.

네가 나랑
같이했으면…!!

내가 너랑 왜 해?
드로잉 얘기로
4주 내내 시달릴 게
뻔한데.

그러게 수업 때
왜 그렇게 오버하냐?

나는 수업에
충실했던 거라고!!

수업에 충실은
무슨…

맨날 김재희랑
싸워대니까 튀지.

그건
걔가…!

아.

수업 때마다
뭐라고 한다는 애
이름이 김재희야?

엉.

무슨 일
있었어?

개랑 얘랑 과제
같은 팀 됐어.

아흑~!!

어쩌다?

교수님이
시켜서.

팀은 직접
짜지 않아?

쟤네가 수업 때
좀 튀었어.

그리고
내가 교수였어도
좀 시켜보고
싶었을 거 같고.

둘 다
잘하긴 잘하니까.
완전 다르게.

그래! 잘해!
나는!!

근데 김재희가 아까워.
걔는 못 그리는 게 아니라
덜 그리는 거잖아.

덜 그려도 못 그려도
구린 건 구린 거지.

네 스토리가
제일 구려.

너랑 해서 불쌍하다,
김재희.

닥쳐~!!

미안.

너무 우리만
아는 얘기했네.
딴 얘기하자.

아냐.

재밌는데?

짝

활

얘 얘긴데
다 아는 얘기지
뭐~!

아.

콜라 다 마셨다. 이거 마지막인데.

편의점 갔다 올게.

너네 뭐 사다 줄까?

......

아이스크림.

네 카드 가져간다.

그래.

갔다 와~

뭐냐, 너.

무슨 꿍꿍이냐?

왜 웃어, 또.

티 나?

존나
티 나!!

너… 뭔데?

음….

김재희라는 애,
어떤 애야?

그냥… 나이는 같은데
한 학번 선배고…
김재희는 왜?

재도 너도
얘기 많이 하길래
궁금해서.

우승이.
막 데려간다고.

아,
그런 말도 했었지.
너 기억 잘한다.

27

그건 이제
일이 해결…

헉.

?

왜 그래?

…까먹고 있었던 게
생각나서….

…김재희가 강범철을
좋아하는 게 아닌가
라는 생각을…

한 적이
있었는데….

둘이 수상한 적도
한 번….

아, 아니다.
별로 생각 안 하고 싶어.

무슨 일인데?

전시회 간 날
줬어야 했는데.

잊고 있었어요.
번거롭게 해서
미안해요.

괜찮아요.
겸사겸사 만나고
좋은데요.

고민이 많은
얼굴인데….

앗, 아니에요….

예전부터 생각했지만…
얘기 잘 들어주시고
조언도 해주시고.

이런저런 경험이
많으신가 봐요.

그런 것보다…

그냥 얘기 듣는 걸 좋아할 뿐이에요.

약간의 대리만족? 전 연애는 딱히 안 하게 돼서….

헛, 왜요?

그냥, 음….

감정의 온도가 낮다고 해야 하나.

예전에 좋아하던…?

좋아하는 줄…? 알았던 친구가 있었는데.

그 친구가 그리는 그림 스타일도 찾아보고….

아, 전에 말한 마이너한….

네.

그렇게 이해하려고
한 거랑 다르게
정작 만나면

그 친구 행동이
재밌어서 그냥 보기만
했거든요.

근데 그거에
만족했어요.

좋아한다고
생각하는데도요.

그 친구가 군대 가고
혼자 생각해보니까
좀 알겠더라고요.

남들이 말하는 좋아함을
따라가려고 했다는걸요.

스킨십처럼 애정을
직접 표현하지
않더라도…

가능한 관계도
충분히 있을 거고.

잘 맞는 사람과
편안하게…
친구 같은 관계도 있겠죠.

그냥 전 그런 게 좋아요.

사람마다 감정의 형태가 달라서 얘기 듣는 게 재밌는 거고요.

와….

완전 좋은데요? 어른 같아요!

하하.

본능에 휘둘릴 일 없이 이성적으로….

흥

뿐

음… 제 얘기만 너무 많이 했네요.

오늘은 근처에 볼일이 좀 있어서 일찍 가야겠어요.

다음에 또 봐요.

네! 책 잘 볼게요. 다음에 또 봬요.

사람 마음이
마음대로 되는 건 아니지만…

너도 JJ 님이 말한
그런 관계가 더 좋을 거 같은데.

…어쩌다
이렇게 됐나.

사람마다 감정의 형태가
다르다는 게…

나만의 형태도
분명히 있을 텐데.

내 감정 이상으로 너무 휘둘려서 내가 아닌 느낌이···.

······

과제.

뻘 떡

과제만 하면 휘둘리는 것도 끝이야.

다시 이성적인 삶을···!

10화

JJ 님이…

여기 왜 있지?!

근처에 볼일이 있다는 게…

예전에 좋아하는 줄 알았던 친구가 있었는데…

마이너한 감성의 그림을 그리는 사람을 이해해 보려고.

아.

봐, 봤나…?

아니, 근데 내가 왜 숨지?!

스윽…

헛…?! 없잖아? 언제 간 거야…?!

떠링♪

11월 24일 목요일

INSTTAGRRAM

[JJ] : 왜 숨어요? ㅋㅋ
밀어서 더 보기

그러게요.

다 봤구나…

아니, 뭔가…
제가 알면 안 되는
만남 같아서….

괜히 숨게 됐어요.
기분 나쁘셨으면
죄송해요.

하하. 아니에요.
재밌었어요.

숨는 거 좀
귀여웠고….

……?

선진이랑
같은 학교인 거 같다는
생각을 하긴 했지만…

같은 과에
서로 아는 사이일 줄은….

저, 이런 질문
실례인 거 아는데….

혹시 선진이를…
좋아….

아뇨.
그냥 친군데요.

앗.

마이너한
그림 그리는…

좋아하는 줄
알았다고 한 게
선진이인 줄….

아,
그건 맞아요.

말 그대로
좋아하는 줄
알았어요.

?

왜, 사람들은…
연애하고 싶다,
외롭다… 버릇처럼
말하잖아요.

전 그게
맞는 줄 알았어요.

좋아한다고
생각해서 선진이를
지켜봤었는데

오히려 보면서…
사귀고 싶다거나
자고 싶다는 감정이

저에겐
별로 없다는 걸
알게 됐어요.

저 나름대로는
좋아한 거일 수도…?
있긴 하지만. 음….

그것보다는
선진이 덕분에
더 저를 알게 됐다고
해야 하나….

그래서…
고마운 사람이라고
생각해요.

저도 몰랐던
저에 대해서 알려준
사람이니까요.

그리고… 지금은
좋아한다는 게…

그냥 잘 맞는
사람이랑 편하게
지내면 좋겠다고….

그런 생각하죠.
그런 정도의
온도고요.

전 그래요.
좋아한다는 감정이.

과제 끝나고 생각 있으면 연락해요.

헛…? 네…?

저….

근데… 재희 님 과제하면서 또 그 친구분한테 휘둘리지 않을까요?

으아, 아니, 아니에요! 저 그러면 안 돼요!!

잘 모르겠지만…

…톡… 약간 고백받은 거 같다.

나도 JJ님의 연애관 딱히 싫지 않고 JJ님도 좋은 사람이고

무엇보다 더 이상 휘둘리고 싶지 않기도 하고.

어쨌든 이 모든 걸 해결하려면…

과제!!!

빙글

이제 더 이상 나를 피할 수 없다, 이 새끼야!

뭐야, 네가 내 자리에 왜 있어?

…그래. 나도 슬슬 연락하려고 했어.

여기서 빨리 대충 끝내자.

시놉 짠 거 줘봐.

헉. 맞다.

왜?

집… 집에 있는 걸 깜빡… 마음이 급해서 그냥 막 왔네.

…장난하냐?

집….

에휴

그래, 노트만 가지고 바로 갈 테니까 같이 가자.

그… 그래. 근데… 난 들를 데가 있어서… 너 먼저 가 있어.

우물 꾸물

뭐? 너네 집에 나 먼저 가라고?

어디 가는데? 그냥 같이 가.

그…

??

차가 너무 작잖아!!

잘 가면 됐지, 뭐!! 크기가 무슨 상관이야!

빨리 타!!

네, 네.

껴!!!!!

으

악

그러니까 너 먼저 가랬잖아!!

아~.

한참 웃었네.

왜 웃어, 웃기는.

웃기잖아. 너랑 안 어울려서.

부웅

어머니 차야?
차가 깔끔하고
예쁘다.

어? 어….

차도 빌려주시고
널 많이 믿으시나
보다.

얘랑 이런
평범한 대화도
가능하구나.

뭐….

그래, 앞으로도…
이런 식으로
지낼 수 있겠어.

과제 끝나면 JJ 님한테….

응?
너 어디 가?

너네 집 저쪽…
우회전….

49

야,
너네 집 가는 길
지나쳤는데.

음….

어디 가는 거야,
너?

…몰라.
어디 가게?

어디 가냐고!!

맞춰봐~.

너…
너 설마 날….

뻐억—

내가 얘기
안 들어줬다고….

어디론가
끌고 가서….

푸핫!

기름 넣으러 간다,
기름 넣으러!

너 무슨
생각을….

무슨 생각을 했길래…
얼굴까지 새빨개져서.

사람 끌고 가서
얼굴 새빨개질 일이….

음….

…뭐냐,
이 상상.

SELF

Self Service

끌고 간다는
말 때문에
이상한 생각이.

뭐, 쟤가 뭘 생각했든…

내가 좋아하는 거…
대충이라도
아는 거 같기도 하고.

재도 의식하고 있는 건가!?

야! 이, 이이, 이,
이 미친놈아! 차 부서져!!!!

뭐 하는 거야!!!!

…괜찮아?

너무 빨리
물어보는 거
아니냐?

미안, 내 차 아니니까….
근데 너 괜찮은 거 맞아?
세게 박던데.

별로
안 셌어.

왜 박은 건데?

그냥…
쪽팔려서.

너 진짜 무슨
생각한 거야?

54

금방 찾고 줄게.
잠깐 앉아 있어봐.

너 또 머리
박지 마라.

안 해.

여기
났었는데.

어딨지….

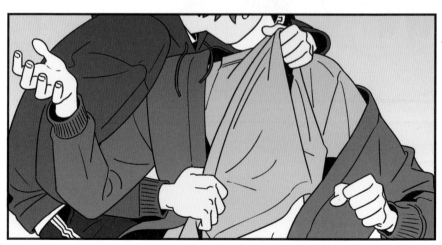

음…!!

하아…

하지 마.
나 이제 너랑 이런 거
안 할 거야.

왜?

쓰윽

그야, 넌…

…나 좋아하는 거
아니잖아.

......

난….

쑤욱

꽈악

뭐야, 너….

결국
이런 생각한 거야?

하아.

훗.

아….

윽.

좋아….

크윽

덥석

뭐, 뭐야.

왜

음.

으음.

향햐쨰

스륵

읍.

뭐야.

갑자기….

…….

그냥….

꼬옥…

…….

…….

토닥

토닥

넌 나랑 왜 자?

기분 좋아서?

그럴 줄 알았어.
그게 다인 거지?

그럼 또
뭐가 있는데?

음… 나는 적어도
내가 하는 행동에
이유나 목적이
있었으면 하거든.

그래서… 이제 이런 건 안 했으면 좋겠어.

왜? 별로야?

음…. 어.

넌 기분 안 좋았어?

…할 땐 좋은데. 다 끝나고 보면 별로….

…오늘 확실히 느꼈는데 난 네가 좋은 거 같아.

근데 넌 아니잖아.

뒹굴

네가 날 좋아하는 게 아니면 이제 그만하게.

뭐… 아예 보지 말자, 이런 게 아니라. 과제도 있고.

적어도 섹슈얼한 관계는 좀….

내가 좀 그래서
힘들 거 같고….

어….

네가 마음 없다고
했으니까.

벌떡

난 이제
다른 사람 만나고
싶거든.

어?

11화

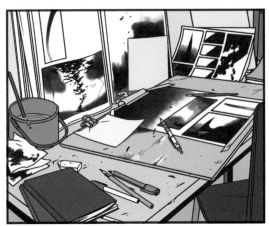

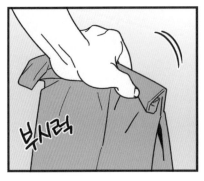

난 이제 다른 사람
만나고 싶거든.

......

왜?

왜 너만 말해.
난 한마디도
말 안 했는데.

…뭐
할 말 있어?

…….

음…
아니, 뭐….

뭐야.

네가 이미 다
결론 내렸는데
내가 뭔 말을 해.

…그럼
그 사람이랑
사귀는 거야?

아니…
그런 건 아니고.

과제 다 끝나면
연락하라고
했으니까…

흐음….

일단 만나보다가
결정을….

…내가 왜 너한테
이런 얘기해야 하냐.

쭈욱

…알았어.

...어?

알았다고~
거기 안경 좀.
갈 거야.

어.... 시놉 노트
가져가.

여기...

어.

내 건
메일로 보낼게.

생각보다 아무렇지 않게
잘 끝난 것 같기도 하고...
나도 쟤도....

아, 그리고.

이제 여기
안 올 테니까

내 칫솔
버려라.

간다!

덜컹

삐빅

......

뭣....

네가 버리고 가면 되잖아...!

그래도
나름 고백한
사람한테…

다시 생각해도
어이없네….

에잇.

폭

버려, 버려.

이제
남은 건….

으음….

받는 사람: 강범철,

이번 주 과제 말인데

발표 이상입니다.

네~ 내용 정리해서 카페에 올려주시고.

다음은… 마지막 발표 안 한 팀이…

범철이랑~ 어, 오늘 재희가 안 나왔네?

범철이 혼자 발표하니?

아뇨, 저… 아직 준비를 다 못 해서요….

어, 웬일이야. 과제 안 한 건 드문 일인데.

재희도 수업, 과제 빠진 적이 없었는데….

졸작이 너무 바쁜가? 요즘 4학년은 다 빠지네.

어쩔 수 없죠. 다음 주에는 꼭 진행 상황 봅시다~.

네….

자, 오늘은 끝!

…너 과제
괜찮은 거야?

왕성왕성

몰라.
김재희가 졸작 한다고
이번만 빠지자고….

덜컹

드르륵

졸작 마감 코앞이니까
어쩔 수 없긴 하지.

나 먼저 간다.

응….

별떡

드륵

Layer 2
5 % Normal
Layer 1
100 % Normal
04

오후 6: 19
2016-11-26

그리고 보니까

과제 제출보다 졸작이 먼저네.

…김재희…
졸작 많이 밀렸나?

……

자꾸
생각나네.

안녕하세요~.

오…
전우승.

김선진 없어.

네?

너 선진이
찾으러 왔잖아.
선진이 집 갔어.

아니, 저…
음….

네….

안녕히 계세요….

아, 잠깐.

?

너…

김재희 인스타 알지…? 나 좀 알려줘.

뭐야, 그 표정은.

아니, 의외라서… 사이 안 좋은 거 아니었어요?

…치, 친구.

친구가 알려달래서.

…….

예…….

아, 빨리 알려줘봐.

직접 주소
쳐드릴게요.

오.

땡큐, 땡큐.
잘 가라.

안녕히 계세요~.

흠….

얘 과제 말고도 많이 그리네.

못 본 게 더 많은 거 같은데….

음….

……

이런 연출이면…

내 작화로도 꽤 괜찮게 나올 거 같기도 하고.

이제까지 본 과제보다 여기 있는 게 훨씬 좋은데.

애 시놉 어땠더라.

스

옥

으악! 뭐야!!

아니, 그게…
재희 샘 계정 하나 더
있는 걸 까먹어서요….

아까 그 주소 뒤에
숫자 02만
붙이면 돼요.

그냥 개인 계정이긴 한데…
가끔 작업 과정 올리시거든요.
혹시나 하고….

선배…
거짓말하면서
까지…

히죽 히죽

재희 샘
인스타를
왜…

가라….

jhk02

필

개인 계정?

그냥 일상 사진
올리는 용도인가?

똑

이 새끼…
졸작 때문에 바쁘다더니.

…뭐야.
어제 올라온 것도 있잖아.

뻥이었냐?

작품전시회

…사진 속 사람.

계속 같은 사람인 거 같은데.

그 '다른 사람'인 건가?

뭐 하냐?

구경….

?

야.

나 좋다고 고백하고
바로 다른 사람 만나면
뭐 하자는 거야?

후루룩

너한테 고백했다고?
그때 잔다고 했던 애?

응.

선진이 얘기 들었을 때
그런 행동력 있는 애 같진
않았는데, 의외네….

휘둘리다
떨어져 나갈 줄
알았더니.

이러다 쟤도
깨달을 거 같은데.

논 거 아냐?

어?

너 갖고 논 거
아니냐고.

탁

자고 싶을 때
자다가 잘 안 될 거
같으니까

그냥 갖고 놀다
버린 거 아냐?

어, 그건 아닐걸….

왜? 네가 그걸 어떻게 알아.

왜냐면….

그렇게 따지면… 내가 걜 갖고 논 거 같거든.

파앗

……

그렇게 보지 마라….

구구

구구…

이쯤 되니 걔가 불쌍하네…. 그냥 내버려 둬.

음….

다른 사람 만난다는데 네가 뭐 어쩔 거야.

근데 넌

좋아하는 것도 아니면서 왜 개랑 자꾸 만난 거야?

…몰라.

뭘 몰라.

몰라! 기분 좋아서 그랬어.

기분 좋으면 사람 안 가리고 다 자냐?

그건 아니지만.

아, 그건 아니야? 난 네가 기분 좋으면 다 자는 줄 알았는데.

뭐어?! 너 대체 날 어떻게 생각하고 있는 거냐?

어떻게 생각하긴.

그러면 나랑 자자고 하려고 했지.

그거나 버리고 와라.

하항

너 거기서 딱 기다리고 있어라.

탁

......

별컥

어, 현호. 왜 그러고 있어?

...난 가끔...

?

강범철을 죽이고 싶어...

이 말 어디서 들은적 있는데...

상관없지만 이 집에선 죽이지 마라.

졸작 때문에 좀 급하게 하느라 정리를 못 해서…

못 알아보겠는 건 물어봐, 말해줄게.

응.

내가 거기 띄워놓은 거 옆으로 넘기면서 봐.

알았어.

엄청 집중해서 보네….

급하게 넘긴 부분이 많아서 좀 자신 없는데.

그래도 쟤가 편하게 할 수 있는 스타일로 하려고 신경 썼으니까.

별말 없을 거 같기도 하고.

…얘는 여전하군….

이거 어떻게 그리냐.

야.

여기 중반부 연출…

어?

무슨… 어떤 의도냐?

아….
신경 쓴 부분이다.

그거는…

그렇게 클로즈업 해서
인물을 부각시키면

표정 살려서
감정 전달하기도
좋고.

네가 그릴 때도
더 편하겠지 해서
일부러….

장난하냐?

뭐?!

너 원래
이런 심리묘사 부분에서
절대 이런 가벼운 연출
안 하잖아.

나 편하라고
일부러 이런 식으로
했다고?

존나 너 대충 한 거 아냐?

뭐어?!

난 일부러 널 배려해서…!

배려한답시고 고민 없이 쉬워 보이는 걸로 대충 한 거 아냐?

너 원래 절대 이렇게 인물만으로 표현 안 하잖아.

이제까지 네가 하던 방식이랑 완전히 다른데…!!

왜 이렇게 화를 내?!

졸작 때문에 바쁜 거 쪼개서 열심히 과제해왔더니, 뭐?!

교수님도 새로운 도전을 해보라고 했잖아! 나름 나는…!!

너…!! 를
신경 써서…!!
한 과제라고!!

뻥치지 마!

졸작 한다고 뻥치고
다른 사람 만나서 놀고 있고!

내가 모를 줄 알았나?!

엉?

뭔 소리야.
나 그동안 졸작 하느라
정신 없었는데.

계속 집에서
작업만 했다고.

뭣… 너…!!

수업 전날에도
과제 회의 취소하고서
인스타에 놀러 다닌
사진 올렸잖아!

......

···작업하다 잠깐 쉬면서 옛날 사진 몰아 올린 거야.

딱 봐도 전부 다른 날인데···

사진 찍은 날이랑 올린 날이랑 다를 수도 있잖아.

그건 그렇고··· 너 내 인스타 보냐?

···!!!

과제 참고하려고 좀 봤다!!

보니까 내가 살릴 수 있을 연출 방식도 많아서···.

근데 네가 이렇게 해오니까···!

내 개인 계정은 어떻게 알고 봤어.

···우승이가 알려줬어!!

난 안 물어봤는데!!

웃긴다, 너.

이제 와서 질투하는 것처럼 구네.

멈칫

응…?

작업이나 제대로 해! 어쨌든 이건 아니야!

철떡

…알았어. 그 부분은 다시 볼게.

근데 나도 할 말 있는데….

너만 완성하고 난 네가 짠 거 드랍해도 돼…?

나 네 거 못 해먹겠어… 좀 진심으로….

너… 이….

음…. 얘기 더 할 거면 자리 옮기자.

이렇게 길어질 줄 몰랐네.

나 어차피 밥 먹고
들어갈 건데

같이
밥 먹으면서
얘기하자.

…그래.

얘 왜 연락을
안 받아?
과실에도 없고.

수업 듣는 거
아냐?

아냐,
애 지금 수업
없을걸.

솔직히 드랍할
정도는 아니라고!!

그럼 좀
고쳐보든가.

강범철!!

어,
뭐 하냐.

너야말로 뭐 하냐.
계속 연락했는데
전화받지도 않고.

아, 맞다.
오늘 보기로 했었지.
과제하느라 몰랐어.

전에 월세
조정하기로
한 거…

오늘
얘기하려고
했거든.

힐끗

중요한 거면
나중에 집에서
얘기하고.

과제는 시간 좀
있으니까 가 봐.

툭

아, 아니야.
그러면 너네들이 정해.
난 나중에 얘기 들을게.

지금
얘기해.

12화

지금 얘기해.

어제부터 오늘 얘기하기로 했잖아.

약속은 지켜야지.

아니, 뭐… 내가 꼭 있어야 하는 것도 아니고…

과제도 급하긴 하니까 빨리하고 갈게.

…….

이쪽 먼저 끝내고 가야 맞는 거지.

웃기고 있네. 이제까진 지가 맨날 빠졌던 주제에.

그냥 가. 어차피 과제는 수정도 해야 하고.

야, 애 왜 이래?

……

놓으라고! 이러니까 더 가고 싶잖아.

나야말로 그냥 가면 안 되냐?

스

윽

갔다 와.

툭

좀 있다 얘기하자.

그래.

저 새끼 왜 저러는지도 좀 있다 알려줘라.

......

꽈악

아파….

알지도 못하는
김재희 자꾸 캐묻는 게
이상하다 싶었어.

네가 좋아하는 거
강범철이었냐?

.... 아닌데.

뭐가 아니야.

내가
지금 빡치는 게
뭔지 알아?

난 눈치가
빠르진 않아도
없진 않아.

네가 나한테 별로
감추려고 한 것도
아닌 것 같고.

내가 빡치는 건…

네가 강범철을
좋아한다는 걸
끼워 넣는 순간….

강범철은 게이가 아닌데도
좋아하는 걸 자각 못 한 채로
김재희랑 잤고
그걸 너한테 말했고

강범철이 김재희랑
과제하고 밥 먹는다는 거 보고
지금 너는 꼴에
질투를 하고 있고

이 모든 걸
내가 존나 알고 싶지 않아도
알게 됐다는 그 사실이
지금 존나 빡쳐.

내가 왜 궁금하지도 않던
룸메의 성생활까지
눈치 까야 하는 거야.
결국 알아버렸잖아.
아~ 시이발~.

내가 잘못한 건 없지 않아?

좋아하는 거 아니면 상관없다고 쿨한 척할 땐 언제고….

딕쳐…

너…

부딪히고 까일 건지

말 안 하고 접을 건지.

빨리 정해라.

……

잘된다는 선택지는 없는 거야?

잘될 생각도 없잖아.

다른 사람들 잘만 만나고 다니면서 뭘.

어떻게
알았어?

모르겠냐?

이제 와서 순정파인 척
질투해대고….
웃긴다고 밖엔 할 말이 없다.

후

만에 하나…

잘되면 같은 집 사는 거
존나 짜증 날 거 같으니까
둘이 나가….
그럼 난 우승이랑 살 거야….

흠….

나도
같이 살래.

뭐?

나도
방 구한다고 했었잖아.
나도 껴줘.

덕성

그냥
하는 말인 줄
알았지.

너 집 가깝잖아.

너네 집보다
먼데.

난 너 껴도 상관없는데,
방 두 개밖에 없어.

나 너랑 같은 방
쓰기 싫다고.

105

내가 얘랑
쓰면 되잖아.

오늘
처음 보는 애한테
뭐라는 거야….

너
얘 알아?

이렇게는
처음 보는데,

너랑
노는 건 봤지.

나 과실에서
작업해서
잠만 잘 거야!

애 농담 아니니까
빨리 싫다고 해.

음….

난 상관없는데.

뭐?
괜찮겠어?

좋은 친구다, 너.

근데,

방 같이 쓰면
월세 줄고
나야 이득이지.

?

나 게이인데

그래?

괜찮아?

난 아닌데
괜찮아?

뭐냐,
이 대화.

우웅

자기소개
시간~.

거부감이
없네.

있어야 하는 거
아니잖아.

갔다 온다~.

......

같이 살게 된 것도 웃겨.
그런 애를
어떻게 좋아해.

그걸로 좋아한 건
아니고….

그땐 그냥
인상 깊었지.

그럼 뭘로…?
어쩌다 좋아하게
된 거야…?

......

대체…
강범철…?

…커서?

꼬추가?

너 봤어?

콰

키가!!!

아….

거기서 꼬추가
왜 나와?

아니, 키 큰 건
뭐… 새삼….

뭐… 키는 그냥
취향이라

오~ 하는
정도였고.

시끄럽고, 가벼운 애 같고, 생각 없어 보이고.

이건 뒷담 아니야?

그런 줄 알았는데 아니더라고.

시끄러운데 정작 자기 얘긴 안 하고.

오히려 생각이 너무 많아서 말을 안 하는 거 같았어. 그런 게 신기하기도 하고.

자기 생각이나 감정을 티 안 내려고 다른 주변 얘기들을 툭툭 내뱉으니까

생각 없는 애라는 오해 사기 딱 좋고.

그거 알면서도 절대 말 안 해.

무슨 생각하는지, 뭘 느끼고 있는 건지 궁금해서 보다 보니까

호기심에서 좀 넘어갔어.

아마
걘 모르겠지.

애가 절대
생각 없는 애
아니라는 거.

아는 사람 나 말고
또 있을까?

……

너밖에 모른다고?

……?

……

야.

나도 알아,
나도!!

너보다
오래 친군데
모르겠냐?!

너처럼 절절하게
생각해본 적이 없어서
그렇지.

별로
궁금하지도
않고!

무슨….

그리고 중요한 건,
네가 알고 말고가
아니지.

강범철이 누구한테
솔직하게 얘길 하느냐에
달린 거지.

너일 수도, 김재희일 수도,
나일 수도,
모르는 누군가일 수도.

아예
말 안 할 수도
있고.

그냥 걔가 어떤 사람인지
아는 것만으로
웬 부심~?!

알았어….

친구라고 모든 걸
다 말해야 하는 것도
아니고…

걔가 말 안 하면
그런 이유가 있겠지.

너도 말
다 안 하잖아.

뭘?

뭐긴….

강범철을 좋아한다면서
왜 다른 사람들이랑
자는지…?

심리가 뭔지…?
좋으면
다 좋은 건지…?

잊으려는
발악인지…?

왜 그렇게
막 사는지…?

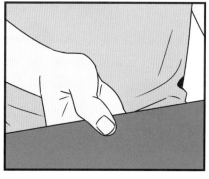

뭐냐. 무식하게
힘만 세가지고.

네가
다 치워라.

너…

거 봐.

말 안 하는 게
중요한 게 아니라니까~
말을 하는 게 중요하지.

치워봐, 이따
범철이 오고 나서
월세 얘기하게.

앗.

…….

…알았어.

같이 치울게….

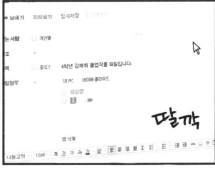

아…! 끝나니까 세상이 너무 아름답다…!!!

금방까지만 해도 미칠 것 같았는데…!!!

이제·남은 과제랑 출석만 하면 끝이다…!!!

졸업…!!!

졸 업

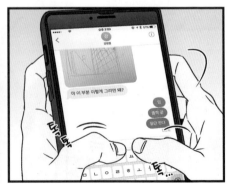

다 필요 없어.
일단 잘 거야!

일어나서
인쇄소 가고, 노트북
반납하고…!

흐아아아~~!

푸ㄹ

썩

…과제….

스르…

……

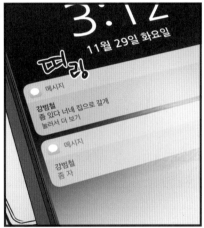

3:12

11월 29일 화요일

띠링

메시지
강범철
좀 있다 너네 집으로 갈게
눌러서 더 보기

메시지
강범철
좀 자

뚝

뚝

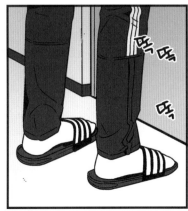

뚝 뚝

뚝

똑…

퍽

아!

으….

벌컥

……

뭐야….

…너 이제
안 온다고
하지 않았냐?

아까 온다고
문자 했는데.
좀 잤어?

음…. 지금 몇 시야…?

밤 9시.

6시간 잤나…. 자느라 문자 못 봤어. 왜 왔어?

졸작 끝났다며. 과제 해야지.

아…… 아~~~!!

내일은 발표해야 된다고.

으… 그래… 그건 뭐야?

밥. 안 먹었을 거 같아서.

앞에서 대강 포장해왔어.

아… 배고프긴 하다. 먹고 과제하자.

그래. 야, 가위 어딨어?

가위… 부엌 서랍 첫 번째 칸….

응?

야, 이거 가위가 이상해.

잘 안 드는데, 이거.

…아… 그거 왼손잡이용이라서…. 줘 봐.

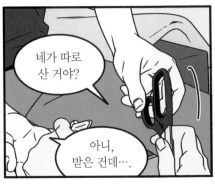

네가 따로 산 거야?

아니, 받은 건데….

나도 잘 안 써서….

……

뭐야. 왜 너도 못 해.

깡 깡

아니, 이게… 계속 오른손잡이용 가위만 써왔더니

오히려 이게 잘 안 맞고 안 되더라고.

오, 잘랐다.

넌 아무리 노력해도 스토리가 안 되고

파

앗

동의하는 건 아니지만 네 말에 따르면 난 작화가 안 되니까

그냥 네 스토리를 드랍하는 거야!

역시 새로운 도전보다는 갔던 길로 가는 게 안전하지!

빠직...

이게….

나 학점
잘 받아야 한다고!!

내가 교수님한테
졸작 땜에 못 했다고
잘 말해볼게.

그, 그럼… 네 말대로
원래 각자 해왔던 대로
안 맞추고 해보는 건?

완전 대작 나올지도
모르잖아!!

………

그럴 리가
있겠냐?

생각해봐라

해 봐라

…시바….

흠….
진짜 드랍
안 되나…

일단
밥 먹자.

…….

…정말 맞추려고
노력하는 것보다…

그냥 해왔던 대로
하는 게 나을 수 있나?

꾹…

난 네가

기분 좋으면
다 자는 줄 알았는데.

······.

···그럴 리가
있겠냐.

13화

너도
먹을 거지?

달그락

다 먹을 수
있겠지…?

음식물 쓰레기
나오는 거 싫은데.

너 숟가락
쓸…

휙

아, 깜짝이야!!
왜 뒤에 붙어 있어?

어, 아니,
딴생각하다가.

뭐냐. 거기
물 좀 갖고 와.

엉…

달그락…

과제 다 끝나면
연락하라고 했으니까….

흠….

일단 만나 보다가
결정을….

예전 같았으면
그냥 달려들었을 텐데.

…근데 쟤는 혼자서 다
정리해버렸고.

…이런 상황에서는

지는 걸로 얼렁뚱땅 넘어가는 건
이제 안 될 것 같아.

행동으로 하면
오해만 사는 것 같고…

뭐, 내가 말을 하면
다 되는 거겠지만.

…그러기 전에,

나한테도 뭔가 계기가 필요해.

원래 하던 대로 하면

또 반복될 뿐이니까….

넌 나 좋아하는 거 아니잖아.

네가 마음 없다고 했으니까.

꽉

빠각

악-

단 한 번도 그런 말 한 적 없다고.

아악!!

푸욱

아….

허….

……

뭐야,
왜 그래? 날렸어?
컴 멈췄어?

5초마다
컨트롤 에스~!!

아니…

?

과제
다 했는데….

…존나 대박이야.
나 천재 아닐까?

아니, 맞지.
천재.

나 볼래.
안 그래도
궁금했는데.

오….
야… 멋있다.

대박.
와… 이건….

오.

와, 얼.

…….

야,
애네 존나 쩔어.
진짜 잘한다.

뭔데?!

아…
보기 싫었는데
궁금해졌어.

ㅎㅎ

여기가….

오….

괜찮네.
야, 좋다.

그치?
이건 솔직히
내 작화가 다 살린 거
아니냐?

뭐, 애초에
김재희가 잘하긴
했는데

이건
진짜 너도
잘 살린 것 같다.

평소랑 좀 다르게…
김재희한테
네가 많이 맞췄나?

그러려고
노력하긴 했는데.
그렇게 보여?

음…
어느 정도는?

너, 드로잉에 집착하는 것보다
이렇게 좀 생략하는 게
더 잘 맞는 거 같기도 하고….

김재희는
뭐래?

몰라.
이거 하면서 일부러
연락 안 했어.

내가
너무 잘해서
놀랄까 봐.

어엉….

내가 김재희면 솔직히 기분 좋겠다.

그러게.

자기 작품을 내가 이렇게 만들어 냈다는 걸 알면…

무슨 표정 지을까?

야 학교 와 나 다했어!

전송됨

잘했네.

……

끝?!

음… 아니, 이거….

발표는
누가 하지?

네가 그린 거니까
네가 하는 게 나으려나?

아니, 그런 거 말고…
보고 느낀 점이라든가…

응? 잘했어.
잘했다니까.

아니, 좀 더….

뭐. 할 말 있음
말을 해.

크윽…. 그니까…
그게….

대체 무슨 말이
하고 싶은 거야.

전에…
네가 그랬잖아.

나를 신경 써서
한 과제라고.

…나도 그랬다고.
네가 내 걸 드랍할 때
난 네 거에 맞추려고
노력했다고.

그냥 그걸
보여주고 싶었다!
난 노력했어!!

그래…

뭐… 그 정도는
과제하면서도
느꼈으니까.

발표할 때
제대로 말하려고
그랬지.

야, 내가 너한테
잘했다고 한 적 있었냐?

나도 나름
진심을 담아서
얘기한 거라고.

잘했어.
고마워.

솔직히 나랑 하는 과제
이렇게 열심히
해줄 줄도 몰랐고…

이렇게까지
내 연출 잘 살려줄
줄도 몰라서.

뭐, 어쨌든
이 과제도 끝이네.
고생했어.

꽈악—

너…

어?

지금 괜찮으면

나랑
얘기 좀 하자.

어….

근데, 나…

선약이 있어서….
지금 몇 시지.

덥석

두 시 반….
나 세 시에 약속 있거든.
안 되겠는데.

취소하면
안 돼?

안 돼, 안 돼.

누구 만나는데?

네가 알아서 뭐 하게?

야. 장난치지 말고.

장난 아닌데. 내가 너한테 말할 이유 없잖아.

뭐… 그렇긴 한데…

그치? 그럼 얘긴 다음에 하자.

드륵

과제 다 끝나면 연락하라고 했으니까…

아니, 야… 잠깐…

잠…

일단 만나 보다가 결정을….

잠깐!!!

덥석

응?

아, 젠장
나도 모르게.

잠깐,
잠깐만!!

잠깐만 기다려 봐!!

아, 너무!!
나 지금 너무
분위기 탄 거 같은데!!!

나는…!!

크으으윽

아악…!!!

나도 모르겠다…!!!

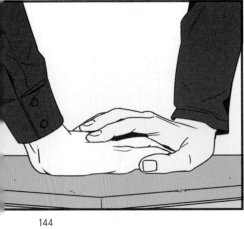

145

……….

…괜찮아.
쟤…

……그래…

하…
시발….

일단 손부터 놓자.
나 가야 돼.

선진이는
뭐 별일 없을…
없겠지.

덥석

뭐야.

얘기
듣고 가.

……

네 얘기 피하려고
안 듣는 건 아니고.

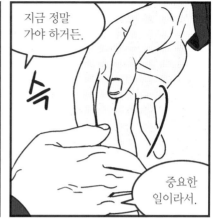

지금 정말
가야 하거든.

중요한
일이라서.

…미안.

나중에
얘기하자.

오늘은 진짜
안 될 것 같아.

일부러 이러는 거
아니니까….

…그래.

…라고 하는 게 아니었어.

젠~자앙~.

그 뒤로 계속 못 만나고.

야, 잠깐…

미안!!

이 새낀 뭐가 이렇게 바빠?

나 지금 학교 아니야

미안

일부러 이러나?

…아니, 진짜 바빠 보이긴 하던데.

그러면 교수님 의견대로….

그래, 이 부분을 수정해서….

이럴 줄 알았으면 그때 도망치지 말고 얘기 들을걸…!!!

크아아악

....

스윽

…아냐,
그땐… 겁이 나서.

하 아…

웬 한숨이야?

어, 왔냐.

무슨 일 있어?

아니, 그냥….

뭐….

감정적인 거
힘드네.

아무 생각 안 하고
살고 싶다.

149

......

말해도 괜찮은 거면 말해 봐.

뭐…

고민 상담할 정도로 대단한 일은 아니야~!

......

…정말 아무것도 아닌데….

빤——

이건 말하라고
강요하는 거잖아….

…알았어,
그래.

좀… 좋은 것 같은…
사람이 있어서
말해보려고 했는데

자꾸 타이밍이
안 맞네~!

하~ 그래,
걔도 마음 정리
다 했다고 했으니까.
아쉬워하면 안 되지.

그림이나
그려야지~.

……

…네 마음이나 감정을
솔직하게 말해도

창피한 거 아니야.
왜 이렇게 너를 감춰?

그거야말로
내 맘이지.

그러다
후회할걸.

후회….
이것저것 노력도
해보고…

근데
타이밍이….

그냥…
이건…

꼼지락…

운명이 아닐까?!

말하지 말라는?!!

그런 게 어딨어.
장난처럼 넘기지 마.

…이제까지
계속 말했던 개지?

처음부터…

좋아한 거
같았어.

…근데 왜 이제까지
나한테

안 좋아하는 거라고
그랬냐.

오…
알고 있었어?

거의
세뇌 수준인데
모르겠냐.

그냥…
좋아하는 거 같았는데
네가 계속 스스로
부정하길래.

인정하기 싫은 건지,
싫어하고 싶은 건지…
여하튼 그래 보였는데.

이젠 너도 네 감정
깨달은 거 같고.

…나도 네가 개 안 좋아했으면 했으니까.

잉. 넌 왜?

하…

난 애인 없는데 너만 잘되면 보기 짜증 나니까!

이 새끼….

탁…

좀 솔직해져 봐. 걔한테라도 말을 해.

모든 사람이 이렇게 너에 대한 걸 먼저 알아주진 않아.

154

고마울 것까지야.

그럼, 가자!!

뭐?

출동!!

맘 먹은 거 지금 끝내.

뭐? 뭐라고?

너 또 자고 일어나면 다 까먹었다고 할 거잖아.

아, 아니, 잠깐!! 지금 밤 12시라고!!

그게 뭐?

아니, 야, 아직, 난!!

14화

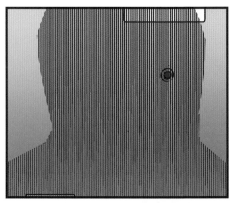

없다.

이왕 이렇게 된 거
기세 좋게 오긴 했는데…

젠장.

기현호 새끼. 쫓아낼 거면
핸드폰이라도 주던가.

추워….

내일이 졸전 오픈식이니까…
집에 들어오긴 할 텐데.

일단 기다릴까.

툭

...얼굴도 볼 겸.

......?

여기서
뭐 해?

어, 왔어?

뭐야?
연락이라도
하지.

어, 지금...
핸드폰이 없어서.

잃어버렸어?

아니….
그런 게 있어.

일단 들어가자.
추워.

안 온다더니
잘만 오네.

삐릭

왜 또 왔어?

음…
오늘은…

…나름 중요한
얘기하려고.

그동안
타이밍 계속
안 맞았으니까.

음…

풀썩

…그래.

뭔데?

그….

띠리리링

아,
잠깐 기다려 봐.
끊을 테니까.

덕걱

…….

…어.

미안,
받아야겠다.

좀만 기다려.

어….

여보세요?

네.

네, 네.
잘 들어왔어요.

하...

...오늘 뭔가 영 아닌데.
그냥 다른 날 말할까.

감사해요.
덕분에...

아니에요,
저 진짜 좋았어요.

다음에 또
꼭 봬요.

미안.

뚜
뚜...

안 받기 좀
그런 전화라서.

누군데?

그냥...
아는 사람.

미안. 얘기
계속하자.

야….

다른 사람
만나지 마.

응…?

다른 사람
만나지 마!!

……!

……

너 우냐?

안 울어!!!!

보지 마,
시발!!!

아니, 어떻게 안 봐.
눈앞에 있는데….

보지 마!!!!
아악!!!

알았어….

다른 사람
만나지 마!!!!

피식

왜?
왜 만나지 마?

말을 해야
알지.

울컥

까

아악!!!!!

야

아… 시바….
알았어,
안 만날게….

진정해….
왜 그래,
왜 울어….

부들

부들

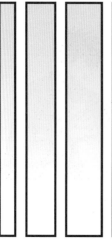
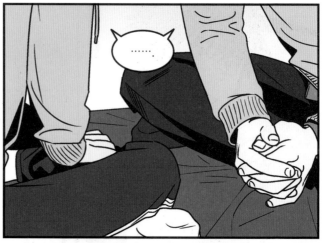

.....

…응.

진정됐어?

시발, 아까 그건
잊어라.

......

잊어!!

알았어.

나 지금부터 말
개 많이 할 거야.

기대해.

그래.

…….

난…

…남한테
약한 모습 보이는 게
싫어.

?

내가 생각할 때
약한 건…

내 감정이
드러나는 거야.

근데 누굴 좋아하면
온갖 감정을 다 느끼고
그걸 보여주게 되잖아.

난 내 감정 말하는 것도 싫고

그냥 내 모습을 다 드러내는 게 싫어.

너한테… 그런 감정은 내가 약해지는 부분이고…

그런 걸 다 보여주는 게… 싫어.

…근데 네가 그 사람 안 만났으면 좋겠어.

…사귀는 관계가 되어야만 네가 다른 사람 안 만나는 거라면

그럼, 사귀면 되는 거야?

그래도, 난… 사귄다고 해도 내 감정, 내 생각…

너한테 다 말하는 거 오래 걸릴 거야.

너를 좋아하는 거랑 다른 문제야. 내 문제.

그런 나를 놔버리고 감정에 취해서… 너랑 사귀면

내가, 내 모습이, 점점 싫어질 것 같아.

그리고… 그런 네가 모르는 내 감정적인 부분들을 네가 보면

결국 너도 날 싫어하게 될 것 같아. 그래서… 보여주기가 더… 싫어.

근데

꽈악—

네가 나를 좋아한다고 했지.

그럼 조금만 기다려줘.

나도 조금씩이라도 솔직하게 보여줄 수 있게 노력할게.

너도 내가 무슨 생각하는지 알아줘.

먼저 말은 못 해도 물어보면 말할게.

넌 솔직하게 바로 말하잖아.

꾸욱ㅡ

네가 진짜 정리
다 한 거 아니면…
그러니까…

다른 사람
만나지 마.

안 만났으면
좋겠어.

헐끔

어….

응….
그래….

반응이 왜 그래?

어… 아니… 놀라서….

너… 진짜 정리 다 했어?

너.

나 좋아하는 거야?

응?

으….

응?!

어…

응…….

반~

그래, 좋아해!!!

좋아!!!!

파앗

진짜지?

진짜 너도 나
좋아하는 거지?

으응….

하하.

사실 아까부터 너무 좋아서

웃음 참고 있었어.

나도 너 좋아.

마음 정리 아직 안 했어.

쉽게 되는 것도 아니고.

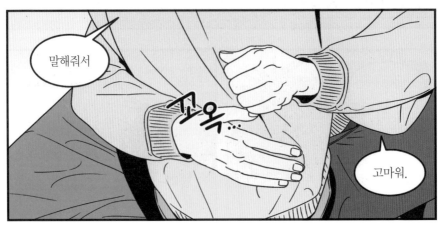

말해줘서

꾸옥...

고마워.

으아으.
하지 마, 그만해.

왜?

…….

너 부끄러워서
그래?

새삼스럽게….

아니야!!!

일단 떨어져!!

꾸

욱~

…알았어.

하… 뭔가 확 풀려서 피곤해졌어.

왜 네가 피곤해. 말하느라 힘쓴 건 난데.

오늘 엄청 돌아다녔거든.

…너 요즘 누구 만난 거야? 그, 만난다 했던 사람 아니야? 근데 나랑….

아… 아냐, 음….

…지금은 때가 아닌데.

네가 걱정하는… 뭐, 그런 건 아니니까

좀만 기다려 봐.

아마 곧… 내일?

말해줄게.

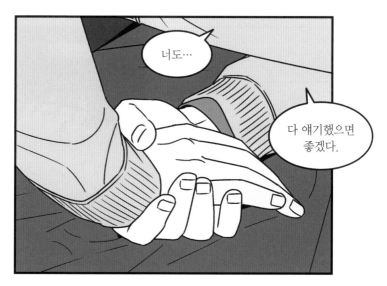

잠깐 쉰다더니
제대로 잘 것 같은데.

……

얘기하느라 힘들었겠지.

요즘 행동으로 대충…
예상은 했어도

내 착각인 줄 알았는데.

……

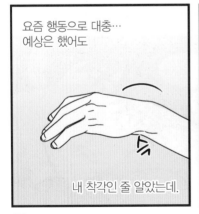

…예전 생각이.

몇 달 전인데.

그땐 얘랑 이렇게 될 줄
생각도 못 했지.

샤락

쪽

으음….

깼어? 깨우려고
안 했는데.

응… 아냐.
가야지.

벌떡

가게?

응….

내일 오픈식이니까
옷도 갈아입어야 하고….

가지 마.

뭘….

갈 거야.

가지 마.

가지 마.

응?

아니….

헉…!!

놔… 놔!!
뭘 벗기고 있는 거야!!

야!!!

너 뭐 해…!!!

억…!

뜨어…!

허어…!

가지 마.

……

쪽

응?

갈 거야?

으으 으윽~

184

하….

하아….

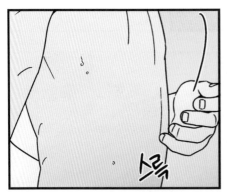

스륵

부르르…

아흐윽!

헉.

……

왜 그래?

아… 갑자기…
소름이….

흐아악!

너 오늘
왜 이렇게….

그냥
만진 건데….

…넌 아무렇지도
않아?

몰라, 난…

이상해,
뭔가….

예전이랑 너무 다른데
넌 왜 아무렇지도 않아?

나 아무렇지도
않은 거 아닌데.

난 예전부터
미칠 것 같았어.
티 안 낸 거지.

넌 몰랐지?
멍청아.

맘고생
다 시키고.

내가 좋다 했을 때
한마디만 하지.

……. 그땐…

……. ……

알았어.

나중에 얘기하자.

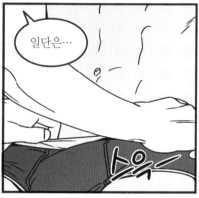

일단은…

스윽—

나도 급하거든.

지금.

15화

춥

춥

하

아…

웃.

하…

팡

…왜 자꾸
가려?

……

이런 거, 너무…
미칠 거 같아.

예전에
말 안 했을 때가
나았어!

심장 터질 것 같아!!

어떻게
사귀면서

좋아하는
사람이랑 자!!

말 잘하네.

계속 그렇게
다 말해주라.

네가 한 개 말하면
나도 한 개 말하고

ㅇㅇ.

내가 한 개 말하면
너도 한 개 말하자.

내가…

?

너 좋아하는 거,
네가 몰랐을 때랑
알았을 때가 너무 달라.

중열…

너 말고 내가….

난 좋은데.

ㅇㅇ….

예전에 너,

들이대면서 했을 때도
나쁘지 않았는데.

부끄러워하는 것도,
뭐… 새롭네.

슥

훡

폭!

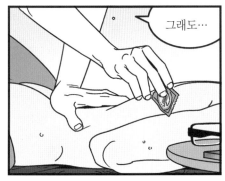

그래도…

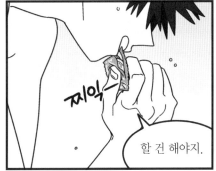

찌익—

할 건 해야지.

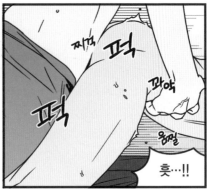

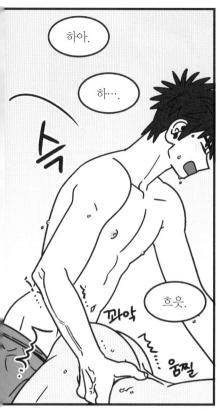

하아.

하….

흐읏.

쏴악

움찔

스읏…

하…

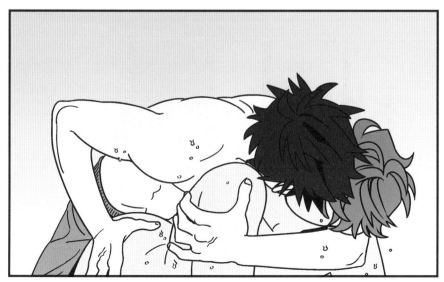

훗…!!

부르…

꽈악

흐응!

ㅁ……

부들…

응!

푸하…

뭐…

뭐야.

슥

홱

허억.

허.

하….

198

스윽—

웃.

꼬집

아…!!

부들…

거길…!!
왜!!

꽈악

멍청…!!

움찔

아!!!

움찔

아… 가슴.
느끼네.

거… 거기
거기 말고.

하앗

빨리…

허

허

199

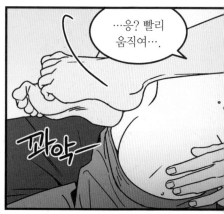

…응? 빨리 움직여….

그냥,

빨리하라고…!!

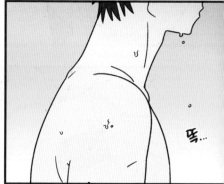

똑…

흐앗!!

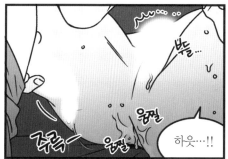

…너무
정신없어서

말하는 게
벅차….

무슨 말이라도
해야 할 것 같은데….

허억.

헉.

하아….

헉….

아….

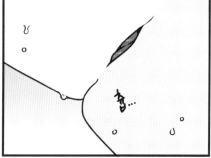

…안 해도

상관없나.

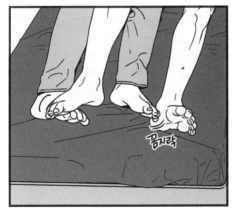

지금 몇 시지?

옆에 폰 있어. 왜?

옷 때문에 집에 들러야 하니까… 좀 쉬다 갈지 지금 갈지 보려고.

……

…내 옷 입어.

오늘 옷 위에 내 자켓 걸쳐.

그러니까 자고 가.

음….

그럼
한 번 더 할까?

뭐? 싫어!

하하

쪽

난 안 어울려서
안 입긴 하는데…

이렇게 자켓 안에
후드티 입는 거
귀여워 보이더라.

멋있어.
잘 어울려.

사이즈도
딱이네.

…….

장난하냐?

바지도
빌려주라고!!!!

이러고 어떻게 가!!!!

다 세탁소
맡겼어.

하하

왜, 뭐 어때.
나름…

.........멋있어.

이 새끼….

이럴 거면
왜 붙잡았어!!

네가
그 바지 입은 거
깜빡했어.

뭐 어때.
그냥 가자.

웃기지 마!!
집에 들렀다 갈 거야.

아…
같이 가면서…

나 누구 만났는지
말해주려고 했는데.

아쉽네.

뭐?!

같이 가자.
말해줄게.

큭….

크윽….

물끄럼…

…….

…아냐….

이러곤
못 가겠어….

너 생각보다…
은근히 옷 신경 쓴다.
의왼데….

야, 내가 아무거나
막 주워 입어도

삼선 츄리닝 위에
자켓을 입으면 안 된다는 것
정도는 알아!!

응… 그래…
다행이네….

집도 가까운데 뭐.
학교에서 보자.

아, 옷은 빌려줘.
안 그래도
뭐 입나 했는데.

잠넘...

그래.

덜컹

삐릭ㅡ

아~.

춥다.
이제 진짜
겨울이다.

그러게.
꽤 많이
추워졌다.

......

생각보다
그대로네.

음...
생각보다....

저벅

저벅

사귄다고 해서
뭐가 달라지는 건
아니니까....

사귄다는 것만
달라지는 거지.

하—

흠...
거의 처음이라
잘....

...그래, 뭐.
별로 달라질 건
없으려나.

키스... 섹스...

사귀기 전에 이미
할 거 다 했으니까.

너…
못 하는 말이 없다.

말 잘 못 한다는 거
뻥이지.

하하.

아… 이쪽이 제 부스예요.

오, 포스터도 멋있네요.

얜 왜 안 와?

금방 온댔으면서.

쿠쿠...

뭐 하냐….

아까 시방…

쿠쿠쿠쿠

그런데 그분은….

아… 금방 올 거예요.

야! 김재희!!!

쟤예요.

너…!!

이쪽은 강범철이라고 하고… 지금 3학년이에요.

엉…?

엥…?

이쪽은…

안녕하세요.

○○플랫폼
입니다.

김재희 작가님 통해서
작품 잘 봤어요.

헉… 네?
어…? 네….

안녕하세요….

작가님이
강범철 씨의 작화를
적극 추천해 주셔서….

그럼
안녕히….

앗, 넵, 넵.
감사합니다.

뭐야…?

그동안 만난 사람들.
너랑 했던 과제,
스토리 포폴로 냈는데
관심 갖는데 많더라구.

그 뒤로 미팅 때마다
보여줬더니
네 작화 반응이 좋아서.
그래서….

파 아 앗

짜락

뭐, 뭐야.

이게 다 나한테
온 거야?

아니. 그것만.
이건 다 나한테
온 거지롱.

이게
너와 나의 차이다.

사실…

내 스토리랑 네 작화로
제안도 몇 개 받았는데.

별로…
하기 싫어서.

네가 좋은 거랑
작업은 별개지.
작업까지 같이하고
싶진 않아.

시발, 이 새끼가…
내가 할 말이거든?

근데, 그럼…
그동안 미팅하고
다녔던 거면…

과제 끝나고
연락하기로 했다는
사람은… 어떻게….

음….

안 그래도
오늘 보기로 했어.

확실하게 할 거니까
걱정하지 말고.

어, 뭐…
딱히 걱정은
안 하는데….

슬슬 만나러
가야겠다.

나 금방 끝날 거 같은데
우리 집 가 있을래?

아냐,
오늘은…

나도 만나야 할
사람이 있어서.

음... 알았어.

같이 밥이라도
먹으려고 했는데
아쉽다.

쭈욱—

좀 있다가
보고 연락할게.

그래.

…….

집에 있어?

얘기 좀 하자

간다 지금

집에 없나.

답도 없고.

삐걱—

덜컥

뭐야.

집에 있었네.

221

16화

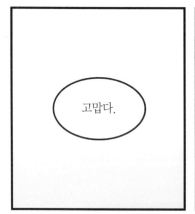

고맙다.

네 덕분에 잘된 것도
잘된 건데,

네가 그렇게 말해준 거
자체가 좀… 고마웠어.

그냥 별거 없고,
이 말하려고
불렀어.

너한테 말해야 될 거
같아서.

뭐…

그래, 내 덕분이지.
빨리 감사를 표해라.

꾸벅

감사합니다.

오냐.

감사의 표시로
맛있는 거 사줄게.

비싼 거
먹어도 돼?

음… 그래.

아, 근데
오늘은 말고.

오늘도
나가지?

어… 이제
나가려고.

턱

잘됐다,
진심으로.

계속
잘 만나라.

응. 너도
좋은 사람 만나라.

그래!

고맙다.

잠시만요.

답장만
빨리 보낼게요.

226

잘됐다니 다행이에요.

감사합니다.

여러모로 조언도 듣고.

감사 인사 꼭 전하고 싶었어요.

네. 이렇게 말해주는 것도 재희 님다워서 좋네요.

…….

별로 미안해하지 않아도 되는데, 쩔쩔매네.

아니, 저….

진짜 부담 갖지 말아요.

재희 님이 생각하는 연애하자는 의미로 말한 거 아니니까.

난…

섹스 안 하거든요.

재희 님… 맨날 싸우던 상대랑 술 먹고 잘 정도로 넘치면, 뭐… 불가능하죠.

앳

네, 네에….

연애하자는 게 아니라 그냥 항상 만났던 것처럼,

전시회 가고, 커피 마시고….

난 그게 좋아요.
그런 온도.

방긋

그런 친구 같은
관계요.

…….

JJ 님은…

에이섹슈얼…
이신 거죠?

네. 뭐
찾아봤나 봐요.

네. 아무래도…
남자 사귀는 거
처음이니까.

제가 그쪽으로는
너무 무지한 것 같아서
이것저것 찾아보다가

설명 읽고…
그동안 하신 말들
생각나더라고요.

근데…

제가 아직은
잘 몰라서

이렇게
말씀드려도 되는지….

저도
잘 모르는 부분
아직 많아요.

계속
알아가는 거죠, 뭐.

재희 님이 전에
말했던 것처럼…

나를
잃지 않기 위해서
이기도 하고요.

재희 님도 이제는
그런 기분 안 느꼈으면
좋겠네요.

네.
노력해야죠.

어, 근데 저 계속 만나도
되는 거예요? 그냥 전시회
같이 가는 친구로.

질투 심해요?
나 그런 맘 없는데.

어… 질투… 없진
않은 것 같은데.

제가 잘하면
되겠지만.

일단
걔한테 물어볼게요.
안 된다고 하면….

오늘이
마지막이에요.

아~ 진짜
너무하네….

어쨌든,
보기 좋네요.

응원할게요.
잘 사귀어요.

감사합니다.

웬일이세요?

졸전 보러 오셨어요?

어, 우승이. 오랜만이다.

타닥..

이번에 졸업하겠네? 축하한다.

어…

툭

저… 지금 3학년인데요. 내년에 졸업해요.

아, 그래? 요즘 정신이 없어서 깜빡했네.

아~ 부끄럽다…. 고마워.

아, 맞아. 요즘 연재하시는 거 잘 보고 있어요!

앗, 선배.

오랜만에 보네요.

아… 그래. 졸업 축하해.

제발 말 좀 놔….

아뇨, 뭐… 네… 감사합니다.

그나저나 정민이도 졸업하지 않나. 선진이 졸업하면, 우승이는…

혼자네….

주룩…

뭐… 졸업은 원래 혼자 하는 거니까요….

힘내라, 우승아….

가지마요…

화이팅….

나중에
또 보자.

안녕히 가세요!

2017 GRADUATION EXHIBITION

강범철.

응.

안 와도 된다니까.
바쁜데 왜 왔어.

집도 바로
옆인데, 뭘.

…뭐야, 머릿속에 그것밖에 없냐.

나 마감 쳤을 때도 존나 많이… 했잖아!

그땐 네가 계속하자고 한 거잖아.

내 몸이 예뻐서 계속 하고 싶다며!

아, 닥쳐~!!

뭐야, 왜 또 갑자기 부끄러워해? 요즘 좀 솔직하더니.

완전 작년으로 돌아갔네.

…너 호텔 가서 보자. 솔직함이 뭔지 제대로 보여준다, 내가.

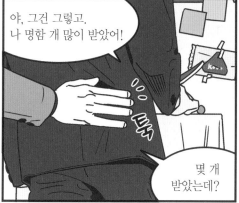

야, 그건 그렇고. 나 명함 개 많이 받았어!

몇 개 받았는데?

몰라, 한 삼십 개쯤?

난 오십 개 받았었는데.

뭐?

5권으로 이어집니다.

욕망이라는 것에 대하여 **04**

초판 1쇄 인쇄 2022년 3월 28일
초판 1쇄 발행 2022년 4월 13일

글 그림 김공룡
펴낸이 정은선 **펴낸곳** ㈜오렌지디

책임편집 이은지
편집 최민유
마케팅 왕인정 이선행
디자인 SONBOM 이다혜

펴낸곳 ㈜오렌지디
출판등록 제2020-000013호
주소 서울시 강남구 선릉로 428
전화 02-6196-0380 **팩스** 02-6499-0323

ISBN 979-11-92186-44-3
       979-11-91164-31-2 (set)

www.oranged.co.kr